IMO

Lluniau gan yr artist anhygoel

Tony Ross

Addasiad Eurig Salisbury

atebol

David Walliams

YN CYFLWYNO
PRESENTS

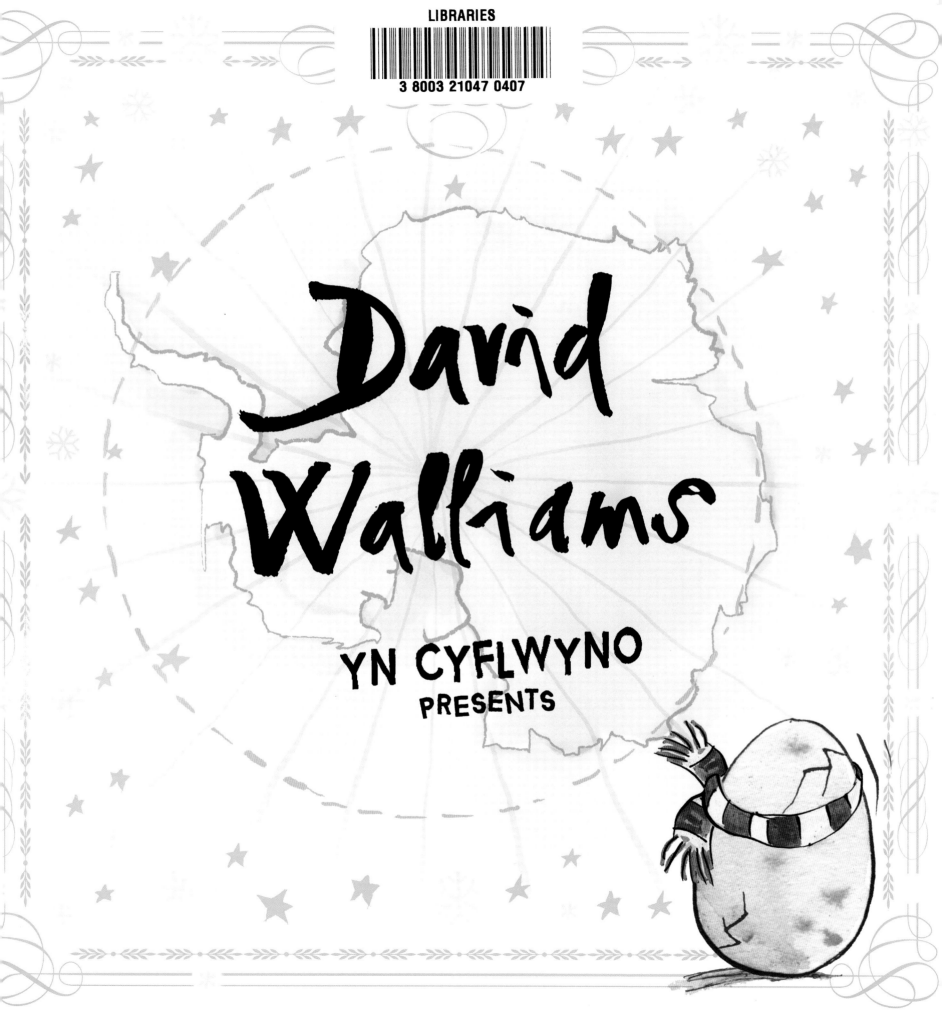

I Ruby a'i gwên hardd.

Gyda chariad,

Wncwl David x

I Wendy,

sy'n wynebu pob tristwch â gwên.

T.R.

JERON

Y fersiwn Saesneg:

Cyhoeddwyd gyntaf yn 2018 gan HarperCollins Children's Books sy'n adran o HarperCollins Publishers Ltd, 1 London Bridge Street, Llundain, SE1 9GF

Hawlfraint testun © David Walliams 2018. Hawlfraint lluniau © Tony Ross 2018
Llythrennu enw'r awdur ar y clawr © Quentin Blake 2010
Mae David Walliams a Tony Ross yn datgan eu hawl fel awdur ac arlunydd y gwaith hwn.

Y fersiwn Cymraeg:

Addaswyd gan Eurig Salisbury
Dyluniwyd gan Owain Hammonds
Golygwyd gan Adran Olygyddol Cyngor Llyfrau Cymru

Hawlfraint © Atebol Cyfyngedig 2019

Cyhoeddwyd yn y Gymraeg gan Atebol Cyfyngedig, Adeiladau'r Fagwyr, Llanfihangel Genau'r Glyn, Aberystwyth, Ceredigion SY24 5AQ

Dymuna'r cyhoeddwr gydnabod cymorth ariannol Cyngor Llyfrau Cymru

www.atebol-siop.com

Yn bell bell i lawr ar waelod y byd,
roedd haid fawr iawn o bengwiniaid
yn byw. Roedd y tadau i gyd wrthi'n
cadw'r wyau'n gynnes, a dyma un
pengwin bach yn **deor**.

At the bottomest bottom of the world
lived a huge colony of emperor penguins.
All the eggs were being kept warm by
their dads when
one baby penguin **hatched**.

Ei enw oedd

His name was

JERONIMO.

"Dwi am hedfan!" dywedodd, a churo ei adenydd mor gyflym ag y gallai.

"Dyw pengwiniaid ddim yn gallu hedfan, grwt!" atebodd ei dad.

"Wrth gwrs eu bod nhw, Dad! Be arall yden ni i fod i'w wneud gyda'n hadenydd ni? Edrych!"

"Let's fly!" he announced, flapping his wings as fast as he could.

"Penguins can't fly, son!" replied his father.

"Of course they can, Dad! Otherwise what have we got wings for? Watch!"

A'i draed fel pâr o sgis, rhuthrodd y pengwin bach i lawr y llethr llithrig.

"JERONIMO!" gwaeddodd, wrth iddo fynd yn gyflymach ac yn gyflymach.

With his feet as skis, the baby penguin used a snowy slope as a runway.

"JERONIMO!" he cried as he sped faster and faster.

Cododd y llethr o'i flaen ...

ac i ffwrdd ag e.

He hit a bump on the slope and...

took off.

Wwwsh!

Am rai eiliadau anhygoel,

For a few glorious seconds

hwyliodd **JERONIMO** drwy'r awyr.

JERONIMO sailed through the air.

"Dad! Edrych! Dwi'n hedfan!"

"Dad! Look! I can fly!"

Curodd ei adenydd yn **wyllt** cyn **syrthio** o'r awyr fel **carreg.** Glaniodd yn y môr rhewllyd,

plop!

The baby **frantically** flapped his wings before dropping through the air like a **stone.** He landed in the freezing-cold sea with a **plop!**

"Ti'n gweld, grwt," dywedodd ei dad, "dyw pengwiniaid ddim yn gallu hedfan."

Roedd Jeronimo'n drist.

"Ond does dim yr hoffen i wneud yn fwy na hedfan, Dad. Rhaid bod rhyw ffordd o wneud."

"You see, son, penguins can't fly," said Dad. Jeronimo looked sad.

"But it's all I dream about, Dad. There must be a way for my dream to come true."

Gwelodd Jeronimo glamp o forlo mawr tew yn pendwmpian ar yr iâ. Neidiodd ar fol mawr meddal y morlo fel pe bai'n drampolîn, a neidiodd yn uchel i'r awyr.

Jeronimo spied an elephant seal dozing on the ice. He leaped on to the seal's big wobbly tummy to use it as a trampoline and launched himself into the air.

Boing!

"Dad! Edrych! Dwi'n hedfan!"

gwaeddodd Jeronimo...

"Wff!"

"Dad! Look! I can fly!

said Jeronimo...

...cyn glanio yn yr eira dwfn,

fflatsh!

...before landing in the deep snow with a thud!

Aeth Jeronimo wedyn i badlo
yn y môr, a dringodd
ar gefn clamp o forfil mawr glas,
ac eistedd ar ben ei

dwll chwythu.

Next Jeronimo paddled
out to sea and clambered
on top of a big blue whale,
sitting right on top of its
blowhole.

Pshhh!

Chwythodd awyr allan dan ei ben ôl,
a saethodd
Jeronimo i'r awyr fel roced.

Air shot up Jeronimo's bottom
and blasted
him into the sky like a rocket.

"**Dad!** Edrych!
Dwi'n **hedfan!**"

"Dad! Look!
I can fly!"

Ond rhoddodd y morfil y gorau i chwythu, ac i lawr y daeth Jeronimo. Chwipiodd y morfil blin ei gynffon…

As soon as the whale stopped blowing, Jeronimo plummeted. The angry whale flicked its tail…

Swish!

…a thaflu'r pengwin bach i'r awyr las.

…batting the little penguin across the sky.

"Dad! Edrych! Dwi'n hed—"

"Dad! Look! I can —"

ond cyn y gallai ddweud "–fan", trawodd yn galed i ganol mynydd iâ.

but before he could say "FLY" he slammed straight into an iceberg.

Clec!

Bu'n rhaid i'w dad
ei adfywio
big ym mhig.

His dad had to give him
beak-to-beak
resuscitation.

"Mae'n amser iti roi'r gorau
i'r freuddwyd, grwt!"

"It's time to give up
on your dream, son!"

"Byth!
Mae breuddwydion yn gallu
dod yn wir, Dad."

"Never, Dad!
Dreams can come true.
I know it."

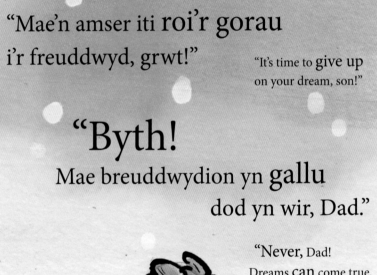

Y noson honno, ar ôl i'w dad lapio
Jeronimo'n glyd yn ei ddillad gwely oer,
fe freuddwydiodd y pengwin bach
ei fod yn

hedfan fyny,

Every night when Dad tucked
Jeronimo under his ice sheet
the baby penguin would dream
the same dream

fyny fry, gan wibio a phlymio

of flight, of soaring high in the air, swooping and twirling.

a chyffwrdd â'r cymylau,
yn frenin yr awyr.

Touching the clouds.
The king of the sky.

Roedd ei dad hefyd wedi cael yr un freuddwyd pan oedd e'n ifanc...

His dad had had that dream too when he was young…

Fore trannoeth, neidiodd Jeronimo
ar gefn **albatros mawr.**

The next morning, Jeronimo leaped on the back
of an unsuspecting **albatross.**

"Edrych! **Dad!**
Dwi'n hedfan!"

"Look! Dad!
I can fly!"

Ond wnaeth hynny ddim para'n hir…

But not for long…

Plymiodd yr albatros druan a'i
big yn gyntaf i ganol haid o forloi bach,
a'u chwalu i bob cyfeiriad.

The overloaded albatross crashed headfirst into a pod of baby seals,
knocking them into the sea like bowling pins.

Bwm!

Bwm!

Bwm!

Sblish!

Sblash!

Sblosh!

Trodd pennaeth y pengwiniaid at dad Jeronimo.

"Rhaid iti ddweud wrth dy fab,

unwaith ac am byth,

dyw pengwiniaid ddim

yn gallu hedfan!"

The Emperor emperor penguin turned to Dad.

"You have to tell your son,
once and for all,
penguins can't fly!"

Â chalon drom, dywedodd wrtho,
"Dim mwy o drio hedfan,
Jeronimo.

Mae'r
FREUDDWYD
ar ben."

With a heavy heart, Dad told his son,
"No more trying to fly,
Jeronimo.

The
DREAM
is over."

Teimlai ei dad yn drist iawn pan welodd
ddeigryn bach
yn rhowlio i lawr gruddiau ei fab.

Dad felt awful as a single tear rolled down his son's face.

Yn wir, roedd ei dad yn teimlo mor drist, galwodd gyfarfod mawr y noson honno tra oedd Jeronimo'n cysgu.

"Gyd-bengwiniaid, ydych chi'n hollol sicr ei bod hi'n **amhosib** inni hedfan?"

So awful that later that night, while Jeronimo was sleeping, he called a meeting of the whole colony.
"Fellow penguins, are we sure it is absolutely **impossible** for us to fly?"

"Ydi, wrth gwrs!"

brathodd pennaeth y pengwiniaid.

"Rhaid bod ffordd!" atebodd tad Jeronimo.

"Na!" "Byth!" "Y ffŵl!"

"Yes! Of course!"
barked the Emperor emperor penguin.

"There **must** be a way!" replied Dad.

"No!"
"Never!"
"Fool!!"

"Wyt **ti** erioed wedi breuddwydio am hedfan?"

"Didn't **you** ever dream of flying?" asked Dad.

Rhoddodd y cwestiwn hwnnw daw ar bawb. Roedd pob un
ohonyn nhw wedi breuddwydio hynny pan oedden nhw'n ifanc.

This silenced the colony.
They'd all had that dream when they were young.

"Beth am inni roi ein pennau at ei gilydd, a gweld beth ddaw?"

A dyna'n union wnaethon nhw. Pan dorrodd y wawr, roedd gan y pengwiniaid gynllun…

"Let's put our bird brains together, and see!" said Dad.
That's exactly what they did. By the time the sun came up, the colony had a plan…

Pan ddeffrodd Jeronimo yn y bore, fe welodd y peth rhyfeddaf erioed.
Roedd y pengwiniaid i gyd yn sefyll ben i waered.

When Jeronimo woke that morning, the strangest sight greeted him.
The entire colony of penguins was upside down.

"Beth yn y byd?"
dywedodd Jeronimo.

"What's happened?"
asked Jeronimo.

"Beth wyt ti'n feddwl, grwt?" atebodd ei dad,
a oedd, fel pob pengwin arall, yn sefyll ar ei ben.

"Ry'ch chi i gyd **ben i waered!**"

"What do you mean, what's happened?" replied Dad, who, like all the others, was standing on his head.

"You are all **upside down!**"

"NA! *Ti sy* ben i waered!

Tyrd i neidio oddi ar yr eira, ac fe gei di hedfan fry!" Pwyntiodd ei dad at y môr.

"NO! *You're* upside down! Come jump off the ice, and you will soar into the sky!" Dad pointed at the sea.

YR AWYR
SKY

"Ie!" dywedodd pawb gyda'i gilydd.

"Ie, dyma'r awyr fan hyn," dywedodd pennaeth y pengwiniaid, gan bwyntio at y môr.

"Yes!" replied the whole colony. "Yes, that's the sky," said the Emperor emperor penguin, pointing at the sea.

"Nawr tyrd, Jeronimo," dywedodd ei dad.

"Dangosa inni fod breuddwydion yn gallu dod yn wir.

Fod pengwiniaid yn gallu hedfan!"

Gyda hynny, dyma Jeronimo'n rhoi un naid enfawr...

"Now come on, Jeronimo," said Dad.
"Show us that dreams can come true.
That penguins really can fly!"

So with that Jeronimo made a giant leap...

sblash!

Fe gurodd y pengwin bach ei adenydd a **gwibio** drwy'r dŵr, yn union fel pe bai yn yr **awyr**.

The little penguin flapped his wings and **zoomed** through the water, thinking it was the sky.

"Dwi'n **hedfan**!"

"I can fly!"

"Dwi'n hedfan!"

"I can fly!"

"Dwi'n hedfan!" gwaeddodd.

"I can fly!" he yelled.

Ac fel un, fe blymiodd y pengwiniaid
i gyd i mewn i'r dŵr.

On Dad's signal, the colony dived in too.

Sblish! Sblash!
Sblosh!

Gafaelodd ei dad yn adain Jeronimo. Gwenodd y ddau ar ei gilydd.

Dad held his son's wing. The pair shared a smile.

Fe wnaeth y ddau siâp dolen fawr a dod yn agos iawn at daro mynydd iâ.

Together they looped the loop, very nearly bumping into an iceberg.

"Cymer ofal o'r cymylau!" gwaeddodd ei dad.

"Be careful of the clouds!" called out Dad.

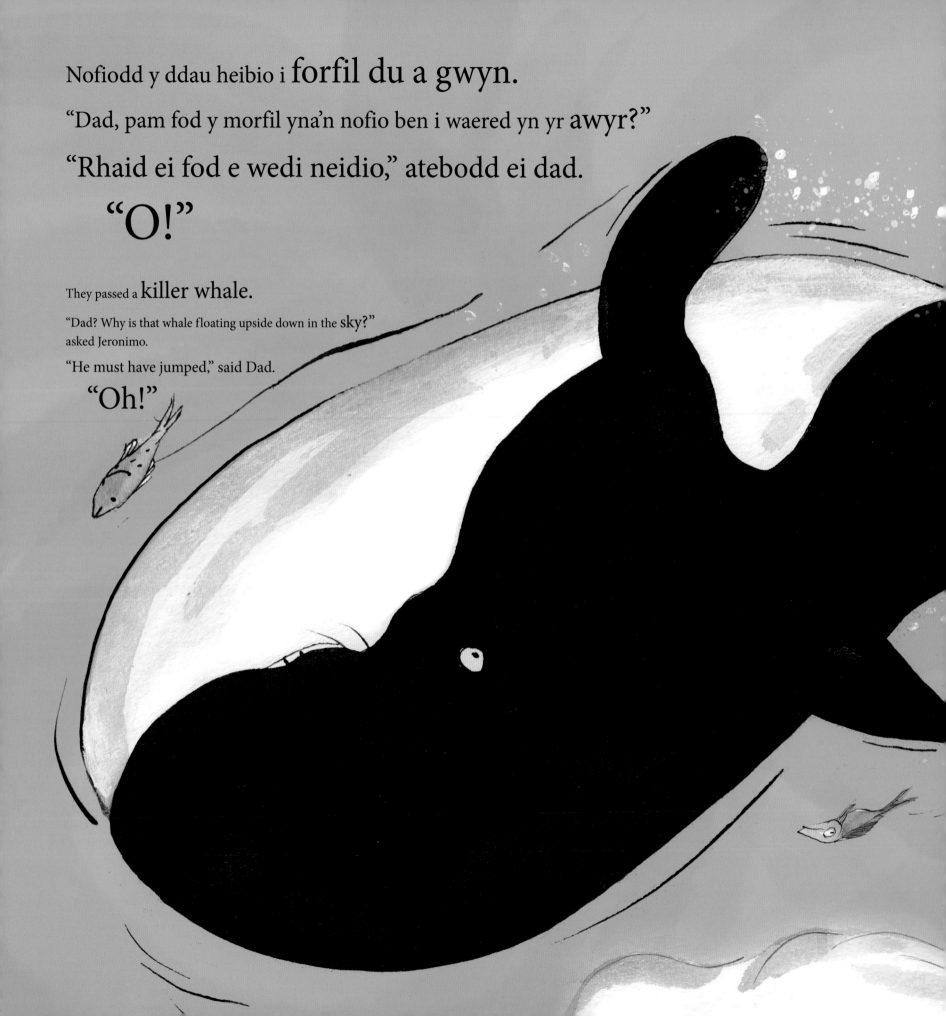

Nofiodd y ddau heibio i forfil du a gwyn.

"Dad, pam fod y morfil yna'n nofio ben i waered yn yr awyr?"

"Rhaid ei fod e wedi neidio," atebodd ei dad.

"O!"

They passed a killer whale.

"Dad? Why is that whale floating upside down in the sky?" asked Jeronimo.

"He must have jumped," said Dad.

"Oh!"

Gwyliodd ei dad gyda **balchder** wrth i Jeronimo godi i fyny fry, fry, fry.

Dad watched with **pride** as his son soared up, up, up.

"Dad!
Edrych!
Dwi'n hedfan!"

"Dad! Look!
I can fly!"